쉬운 임당

닥터다이어리

목차

처음임당 4주차

닥터다이어리 실현 가치		04
프로그램 목적		06
닥터다이어리가 제안하는 건강 습관 형성 메뉴얼		08
처음임당 커리큘럼		10
처음임당 4주차	DAY 16. 오롯이 나만 생각하기	12
	DAY 17. 저혈당 상황 미리 알고 대처하기	24
	DAY 18. 자주자주 물 충분히 섭취하기	36
	DAY 19. 건강행동 습관 유지하기	48
	DAY 20. 나만의 건강관리 패턴 찾기	60
이 책을 만든 사람들		72

닥터다이어리 실현 가치

닥터다이어리

**만성질환관리
헬스케어 플랫폼**

질환은 언제나 외롭고 '혼자'라는 생각이 들게 합니다.
닥터다이어리는 질환자들이 이러한 감정 침체에서 벗어나
일상으로의 회복이 가능하도록 돕고
건강의 가치를 지속적으로 제공할 수 있도록 노력합니다.

닥터다이어리는 만성질환관리 헬스케어 서비스를 기반으로
환자들의 생명 연장 가치를 실현합니다.
당뇨인의 평생관리 파트너로서 모바일 앱을 통한
혈당관리, 질환 정보, 커뮤니티 서비스를 제공하고 당뇨관리에
필수적인 의료기기, 건강식품, 식단 등을 온라인 커머스와
무화당 오프라인 매장을 통해 판매, 개척해 나갑니다.

향후 닥터다이어리는 질환 관리 서비스를 넘어
만성질환을 가지고 있는 사람들의 삶에
필수적인 공존질환 관리 단일 플랫폼으로 발전하고자 합니다.

닥터다이어리 공동창업자   송제윤, 류연지

닥터다이어리 어플리케이션

혈당 기록, 식사 기록, 만보기부터 닥다몰, 건강보고서, 코칭 서비스, 유저 커뮤니티 등의 기능을 지원하는 어플리케이션으로 당뇨에 필요한 정보와 서비스를 전부 모아뒀습니다.

닥터다이어리는 앱스토어와 구글플레이스토어에서 다운로드 가능합니다.

프로그램 목적

쉬운임당

**엄마를 위한
작은 배려**

"설마 내가 임당이겠어?"

설마 했던 임신성 당뇨병 진단은 엄마에게 대단히 충격적인 일이고,
임당은 엄마들이 가장 부정하고 싶은 증상 중 하나입니다.

임당 때문에 사랑스러운 아가에 대한 걱정이 커져만 갑니다.
먹을 것에 대한 고민이 많아지고, 음식 절제는 스트레스로 다가옵니다.
어떤 운동을 해야 할지 정하는 것도 어려운 일인데, 실천은 더 어렵습니다.

그런데 임당은 관리가 필요한 것은 분명하지만,
위기를 기회로 바꿀 수 있는 절호의 타이밍이기도 합니다.
더 건강한 엄마가 되려는 노력은 더 건강한 아이와의 만남을 약속합니다.

본 교재는 그 어느 때보다 건강 관리가 절실해진 엄마를 위해
더 쉽고, 간단한 임당 관리 방법을 알려주기 위해 개발되었습니다.

엄마의 건강, 엄마의 책임감, 엄마의 자존감을 지키며
건강한 식단과 활동적인 생활을 하는 방법을 배우고 실천해 보세요.
건강한 실천을 늘릴수록 걱정은 희망으로 바뀌어 갑니다.

본 교재를 읽는 모든 엄마를 응원합니다.

닥터다이어리 연구소장

처음임당

임신성 당뇨병 진단은 엄마에게 큰 충격으로 다가옵니다.
엄마의 건강과 뱃속의 아가에 대한 걱정도 크지만,
이제부터 임당을 어떻게 관리해야 할지 막막하다고 합니다.

하지만 임당 관리는 걱정과 불안이 아니라,
엄마와 아가의 건강을 위해 미리 관리한다고 볼 수 있어요.

처음 접하는 임신성 당뇨병의 막막함을 덜어드리고,
임당 관리를 쉽고 간단하게 하는 방법을 알려드리겠습니다.

닥터다이어리가 제안하는 건강 습관 형성 메뉴얼

01 평가하기

당뇨병을 가장 잘 관리하는 방법은 건강한 습관을 하나씩 늘려가는 것인데요. 현재의 건강 습관을 평가해보세요! 혹시라도 문제가 되는 습관이 있어도 걱정하실 필요는 없어요. 나의 건강하지 않은 습관이 무엇인지 아는 것이 건강 습관 형성의 시작이에요!

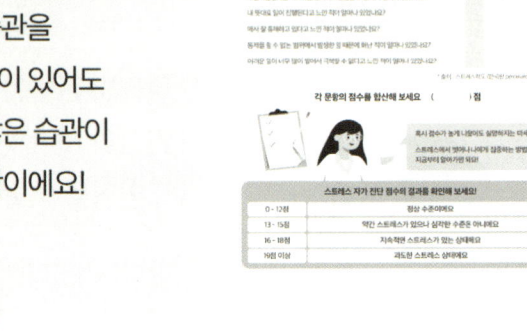

02 조언 받기

건강 습관을 평가했다면, 왜 건강 습관이 필요한지, 그리고 건강하지 않은 습관이 지속될 경우 어떠한 문제점이 있는지 알아보아요!
문제가 무엇인지 알 수 있다면, 문제를 개선하는 방법을 찾아낼 수 있어요!

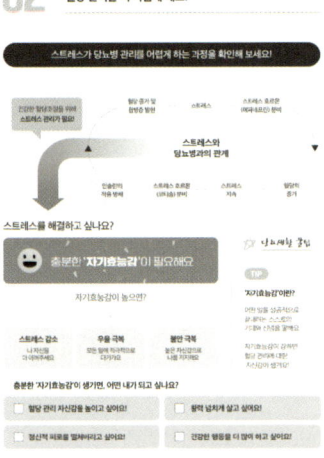

03 목표 설정하기

매일 하나씩 건강 습관 목표를 세워보세요.
닥터다이어리가 제안하는 건강 습관은 어렵지 않아요.
당뇨병 관리를 위해 반드시 필요한 습관을 조금씩 늘려가다보면 저절로 건강이 개선되어요!

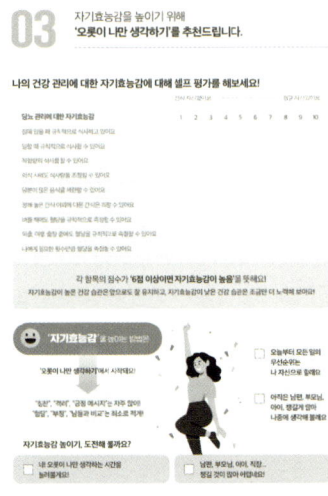

04 도움받기

삶의 다양한 상황 속에서 오늘의 건강 습관 목표를 잘 해낼 수 있는 기술을 습득하고, 건강 습관 형성에 대한 자신감을 가져보세요! 자신감은 건강한 행동의 실천 가능성을 높여줘요!

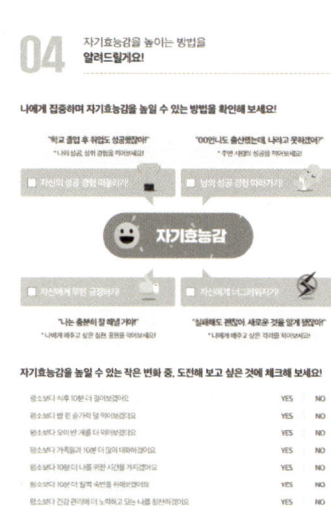

05 미션 도전하기

일상 속에서 건강한 행동을 더 많이 해낼 수 있도록, 닥터다이어리에서 제안하는 미션을 확인해보세요! 그리고 도전할 수 있는 건강 습관에 체크를 해보고, 실제로 그 미션을 수행해보세요! 미션을 훌륭히 해낼 수록 더 건강한 나를 만날 수 있어요!

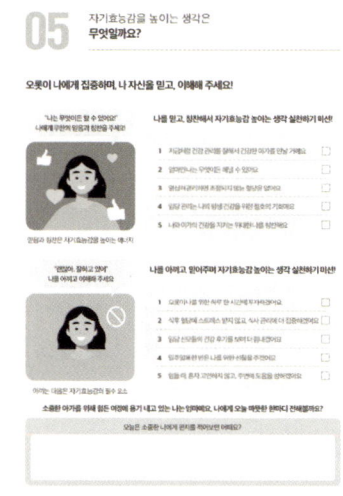

06 건강 습관 완성

처음임당 커리큘럼

1주차

01 갑작스러운 임당, 그리고 나는 엄마
Misson — 혈당 조절 목표 바로 알기

02 엄마의 현명한 선택, 간식 꾸러미
Misson — 간식에서 단순당 줄이기

2주차

06 임당 여정, 가족의 소중함
Misson — 임당 관리, 가족과 함께하기

07 엄마와 아가, 바람직한 체중 증가
Misson — 적정 체중 바로 알기

3주차

11 단짠 NO! 담백 YES!
Misson — 담백하게 먹기

12 더 건강한 식탁, 똑똑한 장보기
Misson — 장보기 전 계획 세우기

4주차

16 고혈당 유발, 스트레스 OUT
Misson — 오롯이 나만 생각하기

17 긴급 상황, 저혈당 SOS
Misson — 저혈당 상황 미리 알고 대처하기

천천히 익히는 임당 습관 4주 챌린지!

03 엄마의 힘, 임당 식사 황금 비율
Misson — 손저울법 활용하기

04 아기에게 골고루, 엄마에게 균형 잡힌 식생활
Misson — 식품교환표 활용하기

05 엄마의 임신 성적, 식후 혈당 관리
Misson — 매일 자가 혈당 측정하기

08 혈당스파이크 예방, 식후 걷기
Misson — 식후 20분 산책하기

09 엄마의 마음, 식이섬유 챙김
Misson — 식이섬유 챙기기

10 혈당의 주적, Smart 당질 관리
Misson — 당지수 활용하기

13 엄마와 아가의 외식, 더 건강한 메뉴
Misson — 외식 전, 미리 음식 메뉴 적어보기

14 뷔페, 슬기로운 선택
Misson — 식이섬유, 단백질 먼저 먹기

15 작은 노력, 가벼운 운동
Misson — 하루 20분, 허벅지 운동하기

18 배변 불편, 지긋지긋한 변비 탈출
Misson — 자주자주 물 충분히 섭취하기

19 출산 후 골든타임
Misson — 건강 행동 습관 유지하기

20 임당 탈출, 건강 습관 유지
Misson — 나만의 건강관리 패턴 찾기

처음임당 커리큘럼

DAY **16**

고혈당 유발,
스트레스 OUT

Mission **오롯이 나만 생각하기**

임신 후 신체 변화도 힘든데 혈당 관리까지 챙기느라
스트레스가 많지 않으신가요? 항상 좋은 것만 보고
좋은 생각만 하고 싶지만 쉽지 않은 것도 사실이에요.
엄마의 마음 상태가 혈당에 영향을 주기 때문에,
오늘은 스트레스를 줄이는 방법에 대해 소개할게요.

STEP. 01 평가하기

01 —— 요즘 나의 마음 상태

배 속의 아이를 위해
스트레스를 받지 않으려고 노력하지만,
현실은 업무나 육아, 집안일로
나도 모르게 스트레스를 받고 있습니다.

시작하기 전에
나의 스트레스 정도를 확인해 보세요.
각 문항에 내가 해당하는 점수를 적으면 돼요.

숫자가 높아도
스트레스를 벗어나는 방법이 있으니,
너무 실망하지 마세요!

01 평소에 스트레스를 많이 받는 편인가요?

'스트레스 자가 진단'에 체크해 보고, 점수를 합산해 보세요!

전혀 없어요 —————— 매우 자주 있어요

스트레스 자가 진단	0점	1점	2점	3점	4점
예상하지 못한 일이 생겨서 기분이 좋지 않았던 적이 얼마나 있었나요?					
중요한 일들을 스스로 통제할 수 없다고 느낀 적이 얼마나 있었나요?					
초조하거나 스트레스가 쌓인다고 느낀 적이 얼마나 있었나요?					
짜증 나고 불편한 일들을 성공적으로 처리 못한 적이 얼마나 있었나요?					
생활 속에서 일어난 큰 변화를 효과적으로 대처한 적이 얼마나 있었나요?					
개인적인 문제를 처리하는 능력에 자신감을 느낀 적이 얼마나 있었나요?					
내 뜻대로 일이 진행된다고 느낀 적이 얼마나 있었나요?					
매사 잘 통제하고 있다고 느낀 적이 얼마나 있었나요?					
통제를 할 수 없는 범위에서 발생한 일 때문에 화난 적이 얼마나 있었나요?					
어려운 일이 너무 많이 쌓여서 극복할 수 없다고 느낀 적이 얼마나 있었나요?					

* 출처 : 스트레스척도 (한국판 perceived stress scale)

각 문항의 점수를 합산해 보세요 (   )점

혹시 점수가 높게 나왔어도 실망하지는 마세요!
스트레스에서 벗어나 나에게 집중하는 방법에 대해 지금부터 알아가면 돼요!

스트레스 자가 진단 점수의 결과를 확인해 보세요!	
0 - 12점	정상 수준이에요
13 - 15점	약간 스트레스가 있으나 심각한 수준은 아니에요
16 - 18점	지속적인 스트레스가 있는 상태에요
19점 이상	과도한 스트레스 상태에요

STEP. 02 **조언 받기**

02 ── 임신성 당뇨와 스트레스

지나친 스트레스는 우리 몸의 균형을 깨지게 하며
혈당 관리에 악영향을 줍니다.

스트레스가 많음에도 불구하고
스트레스에 관심을 갖지 않으면
스트레스로 혈당이 상승하는데요.

이는 또 다른 스트레스를 초래하여
다시 혈당이 상승하는 악순환이 반복돼요.

이 악순환을 끊어내려면
충분한 자기효능감이 필요해요!

02 스트레스는 혈당 관리를 더 어렵게 해요!

스트레스가 당뇨병 관리를 어렵게 하는 과정을 확인해 보세요!

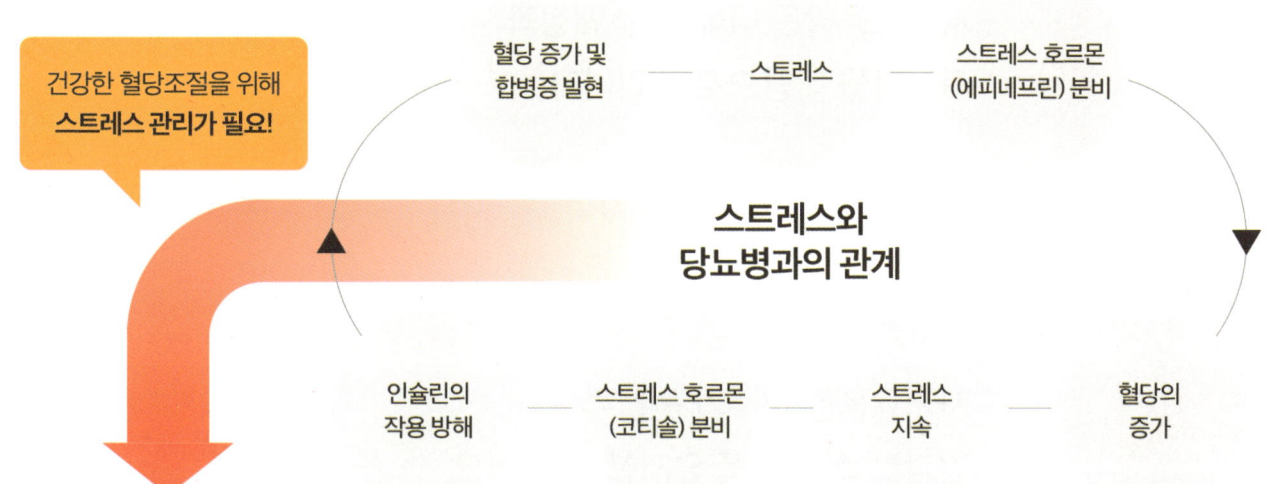

스트레스와 당뇨병과의 관계

- 스트레스 → 스트레스 호르몬 (에피네프린) 분비 → 혈당의 증가 → 스트레스 지속 → 스트레스 호르몬 (코티솔) 분비 → 인슐린의 작용 방해 → 혈당 증가 및 합병증 발현

건강한 혈당조절을 위해 **스트레스 관리가 필요!**

스트레스를 해결하고 싶나요?

충분한 '자기효능감'이 필요해요

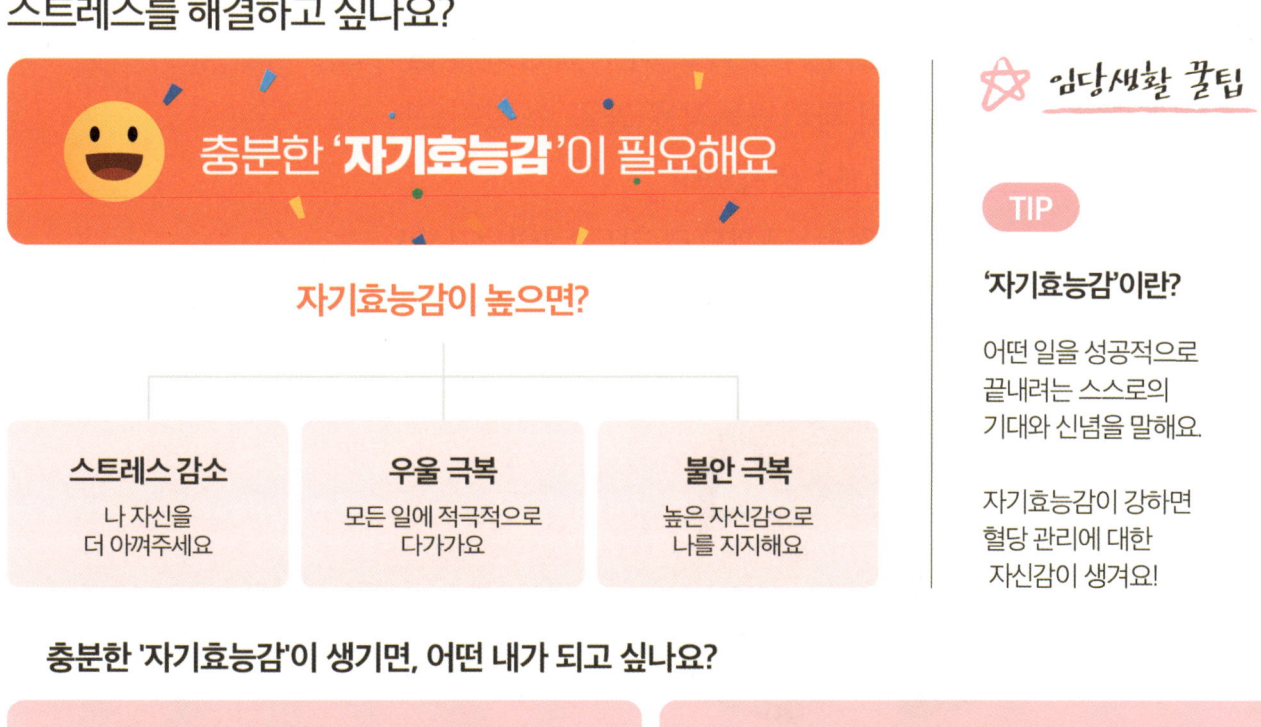

자기효능감이 높으면?

- **스트레스 감소** — 나 자신을 더 아껴주세요
- **우울 극복** — 모든 일에 적극적으로 다가가요
- **불안 극복** — 높은 자신감으로 나를 지지해요

임당생활 꿀팁

TIP

'자기효능감'이란?

어떤 일을 성공적으로 끝내려는 스스로의 기대와 신념을 말해요.

자기효능감이 강하면 혈당 관리에 대한 자신감이 생겨요!

충분한 '자기효능감'이 생기면, 어떤 내가 되고 싶나요?

- ☐ 혈당 관리 자신감을 높이고 싶어요!
- ☐ 활력 넘치게 살고 싶어요!
- ☐ 정신적 피로를 떨쳐버리고 싶어요!
- ☐ 건강한 행동을 더 많이 하고 싶어요!

STEP. 03　목표 설정하기

03 ── 자기효능감 높이기

자기효능감은 나에 대한 애정과
자신감을 바탕으로 생깁니다.

나의 건강 관리에 대한 자기효능감을
스스로 평가해 보세요.

자기효능감 점수가 높을수록
건강한 습관을 쭉 유지할 수 있어요.

하지만 점수가 낮아도 너무 실망하지 말아요.
얼마든지 자기효능감은 높일 수 있어요!
오롯이 나만 생각하며
칭찬과 격려, 긍정으로 가득 채워보세요!

03 자기효능감을 높이기 위해 '오롯이 나만 생각하기'를 추천드립니다.

나의 건강 관리에 대한 자기효능감에 대해 셀프 평가를 해보세요!

전혀 자신 없어요 —————— 정말 자신 있어요

당뇨 관리에 대한 자기효능감	1	2	3	4	5	6	7	8	9	10
집에 있을 때 규칙적으로 식사하고 있어요										
일할 때 규칙적으로 식사할 수 있어요										
적정량의 식사를 할 수 있어요										
외식 시에도 식사량을 조절할 수 있어요										
당분이 많은 음식을 제한할 수 있어요										
정해 놓은 간식 이외에 다른 간식은 피할 수 있어요										
바쁠 때도 혈당을 규칙적으로 측정할 수 있어요										
외출, 여행, 출장 중에도 혈당을 규칙적으로 측정할 수 있어요										
나에게 필요한 횟수만큼 혈당을 측정할 수 있어요										

각 항목의 점수가 '6점 이상이면 자기효능감이 높음'을 뜻해요!
자기효능감이 높은 건강 습관은 앞으로도 잘 유지하고, 자기효능감이 낮은 건강 습관은 조금만 더 노력해 보아요!

'자기효능감'을 높이는 방법은

'오롯이 나만 생각하기'에서 시작돼요!

"칭찬", "격려", "긍정 메시지"는 자주 많이!
"힘담", "부정", "남들과 비교"는 최소로 적게!

☐ 오늘부터 모든 일의 우선순위는 나 자신으로 할래요

☐ 아직은 남편, 부모님, 아이, 챙길 게 많아 나중에 생각해 볼래요

자기효능감 높이기, 도전해 볼까요?

☐ 네! 오롯이 나만 생각하는 시간을 늘려볼게요!

☐ 남편, 부모님, 아이, 직장… 챙길 것이 많아 어렵네요!

STEP. 04 도움받기

04 ── 자기효능감 높이는 방법

나에게 집중하고, 나를 칭찬하는 행동들이
어색할 수 있겠지만 그리 어렵지 않아요.

과거의 다양한 성공 경험을 떠올려보세요.
자신감이 생길 거예요.

주변 사람의 성공 경험을 살펴보세요.
나도 얼마든지 할 수 있는 도전이에요.

이따금 실패해도 괜찮아요.
실패를 통해 새로운 것을 깨달으면 더 큰 성공이 와요.

자기효능감을 높일 수 있는 작은 행동들을
오늘부터 바로 시작해 보세요!

04 자기효능감을 높이는 방법을 **알려드릴게요!**

나에게 집중하며 자기효능감을 높일 수 있는 방법을 확인해 보세요!

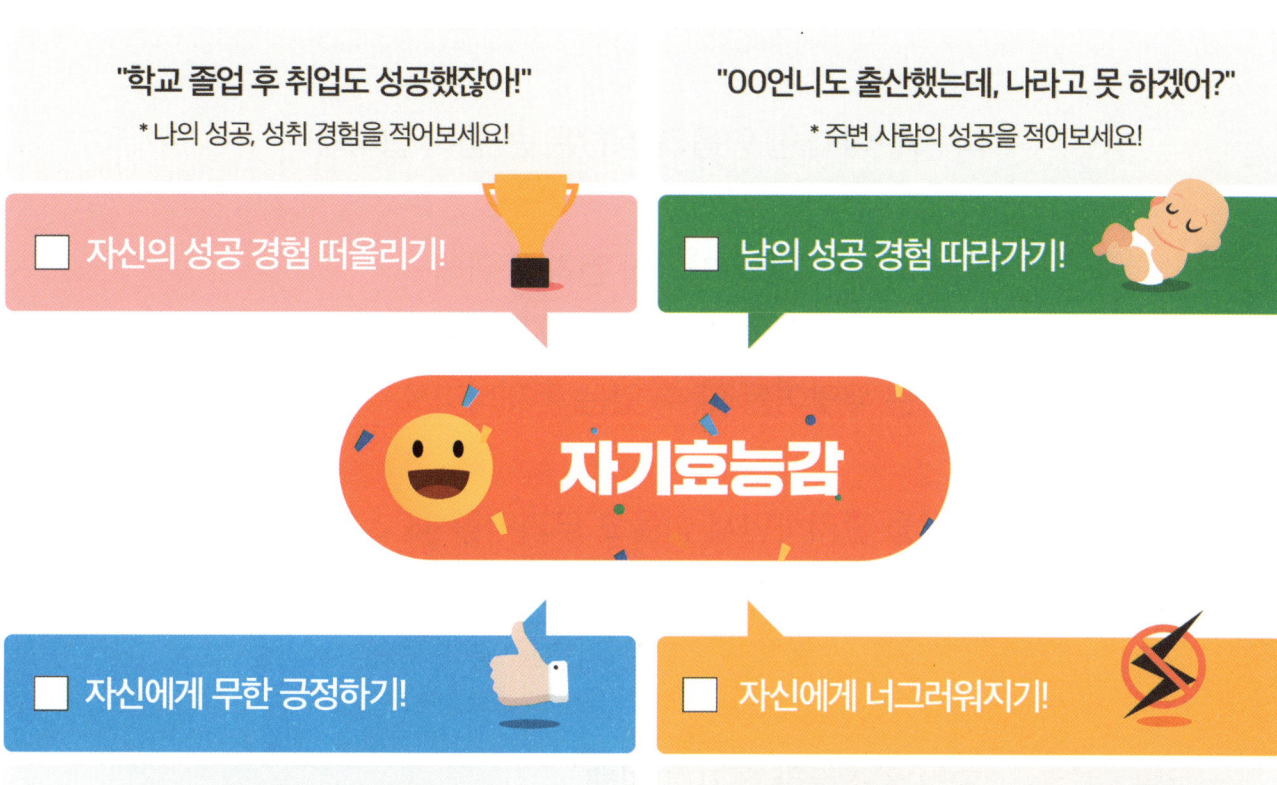

자기효능감을 높일 수 있는 작은 변화 중, 도전해 보고 싶은 것에 체크해 보세요!

평소보다 식후 10분 더 걸어보겠어요	YES	NO
평소보다 밥 한 숟가락 덜 먹어보겠어요	YES	NO
평소보다 오이 반 개를 더 먹어보겠어요	YES	NO
평소보다 가족들과 10분 더 많이 대화하겠어요	YES	NO
평소보다 10분 더 나를 위한 시간을 가지겠어요	YES	NO
평소보다 10분 더 일찍 숙면을 취해보겠어요	YES	NO
평소보다 건강 관리에 더 노력하고 있는 나를 칭찬하겠어요	YES	NO

STEP. 05 미션 도전하기

05 ── 나만 생각하기 실천

나 자신에 대한 믿음과 칭찬은 큰 힘이 됩니다.

임신기 동안 나와 아가의 건강을 위해
자기효능감을 높이는 생각을 자주 해보세요.
엄마는 무엇이든 할 수 있는 존재니까요.

임당을 관리하면서 힘들고 무기력할 때
에너지를 충전한다는 느낌으로 실천해 보세요.
오롯이 나를 위한 행동은 기분도 좋아져요.

오늘은 소중한 아가를 위해
힘든 여정을 걷는 나 자신에게
따뜻한 위로의 말을 전해보면 어때요?

05 자기효능감을 높이는 생각은 무엇일까요?

오롯이 나에게 집중하며, 나 자신을 믿고, 이해해 주세요!

"나는 무엇이든 할 수 있어요!"
나에게 무한의 믿음과 칭찬을 주세요!

믿음과 칭찬은 자기효능감을 높이는 에너지

나를 믿고, 칭찬해서 자기효능감 높이는 생각 실천하기 미션!

1	지금처럼 건강 관리를 잘해서 건강한 아가를 만날 거예요	☐
2	엄마인 나는 무엇이든 해낼 수 있어요	☐
3	열심히 관리하면 조절되지 않는 혈당은 없어요	☐
4	임당 관리는 나의 평생 건강을 위한 절호의 기회에요	☐
5	나와 아가의 건강을 지키는 위대한 나를 칭찬해요	☐

"괜찮아. 잘하고 있어"
나를 아끼고 이해해 주세요

아끼는 마음은 자기효능감의 필수 요소

나를 아끼고, 믿어주며 자기효능감 높이는 생각 실천하기 미션!

1	오롯이 나를 위한 하루 한 시간에 투자하겠어요	☐
2	식후 혈당에 스트레스받지 않고, 식사 관리에 더 집중하겠어요	☐
3	임당 산모들의 건강 후기를 보며 더 힘내겠어요	☐
4	일주일에 한 번은 나를 위한 선물을 주겠어요	☐
5	힘들 때, 혼자 고민하지 않고, 주변에 도움을 청하겠어요	☐

나는 소중한 아가를 위해 힘든 여정에 용기를 내는 엄마예요, 나에게 오늘 따뜻한 한마디 전해볼까요?

오늘은 소중한 나에게 편지를 적어보면 어때요?

_____
_____
_____

처음임당 커리큘럼

DAY 17 긴급 상황,
저혈당 SOS

Mission 저혈당 상황 미리 알고 대처하기

임당 관리의 목표는 정상 혈당 유지입니다.
'혈당 수치가 높은 것보다 낮은 것이 좋다'라고
생각할 수 있지만, 저혈당 또한 고혈당만큼 위험해요.
오늘은 고혈당보다 위험할 수 있는 저혈당과
저혈당 대처 방법에 대해 알려드리겠습니다.

STEP. 01 **평가하기**

01 ── 최근 몸의 이상 신호

임신성 당뇨병 판정을 받은 이후에
갑자기 두통, 어지럼증, 식은땀 등의
이상 신호를 경험한 적이 있나요?

이는 저혈당이 오는 신호일 수 있기 때문에
몸 상태가 조금이라도 이상하면
반드시 혈당 수치를 체크해야 합니다.

공복 시간이 길거나,
식사를 불규칙하게 하거나,
탄수화물을 지나치게 제한하거나,
운동량과 활동량이 과하면
저혈당을 유발할 수 있어요.

01 저혈당 증상에 대해 잘 알고 있나요?

최근에 몸에서 보내는 이상 신호를 느낀 적이 있었는지 체크해 보세요!

| 두통 | 피로 | 식은땀 | 배고픔 | 손 떨림 |
| 불안 | 어지러움 | 창백 | 집중 저하 | 신경과민 |

'저혈당 유발 생활 습관' 중, 해당하는 것에 체크해 보세요!

- 저녁 식사를 오후 6시 이전에 마무리해요! ☐
- 바빠서 식사 시간이 불규칙해요 ☐
- 혈당이 오를 걱정 때문에 탄수화물(밥, 빵, 면)은 거의 안 먹어요 ☐
- 점심시간에 입맛이 없어서 식사를 거를 때가 많아요 ☐
- 체중 조절이 필요해서 운동량과 활동량이 많아요 ☐
- 저녁 식사 후 아침에 일어날 때까지 공복 시간이 길어요 ☐

**위 문항 중 한 개라도 해당하는 것이 있다면,
저혈당 상황을 미리 알고 대처하려는 노력이 필요해요!**

STEP. 02　　**조언 받기**

02 —— 저혈당 위험성

임신성 당뇨병의 저혈당 기준은
혈당 수치가 60 mg/dL 이하를 말합니다.

엄마는 뱃속의 아가를 위해 최선을 다해
혈당을 관리하기 위해 노력을 기울이죠.

하지만 정상 혈당 기준을 너무 엄격하게 지키는
행동도 문제가 될 수 있는데요.

혈당을 내리기 위해 탄수화물을 극도로 절제하고
운동량을 과하게 늘리면 혈액 속의 포도당이 부족해
저혈당 위험이 올 수 있어요.

02 저혈당이 때론 고혈당보다 더 위험할 수 있어요!

저혈당이란? 혈액 속 체내 에너지원인 포도당이 **60 mg/dL 이하**로 떨어지는 상태

☐ **정상 혈당 기준을 매우 엄격하게 지키는 것**
정상 혈당에 가깝게 조절하다 보면 자칫 저혈당이 올 수 있어요!

☐ **불규칙적인 식사와 무리한 활동**
체내 포도당이 고갈되어 저혈당이 올 수 있어요

⚠ 너무 무리해서 관리하다 보면, 저혈당 발생 위험이 증가해요!

임신성 당뇨병의 저혈당 기준은 **60 mg/dL**로 일반 당뇨병의 저혈당 기준(70 mg/dL)과 달라요!

저혈당 상황에서 나타나는 증상은 다양해요!

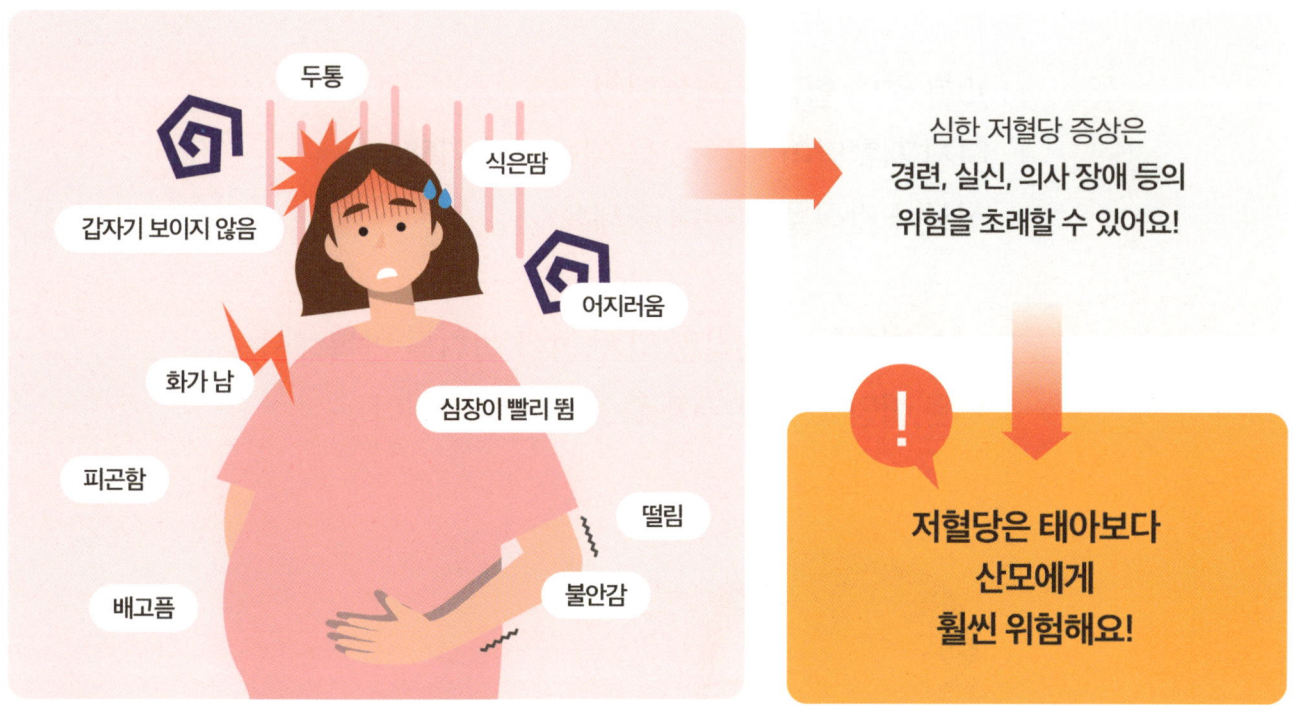

심한 저혈당 증상은 경련, 실신, 의사 장애 등의 위험을 초래할 수 있어요!

⚠ **저혈당은 태아보다 산모에게 훨씬 위험해요!**

TIP 평소 저혈당 증상을 유심히 관찰하는 것이 중요해요!

엄마의 건강이 곧 아가의 건강인 것 잘 알고 있지요?
엄마와 아가 모두를 위해 '저혈당 대처하기'에 대해 조금 더 알아볼까요?

☐ 네! 바로 저혈당 대처 방법을 공부할게요!   ☐ 저혈당은 저랑은 상관없는 일 같아서 괜찮아요!

STEP. 03 목표 설정하기

03 ── 미리 저혈당 대처하기

저혈당 증상이 의심되거나
생활 패턴이 불규칙한 하루를 보내고 있다면
혈당이 60 mg/dL 이하인지 확인해 보세요.

저혈당이라면 15~20 g의 당질을
즉시 섭취해서 혈당을 정상수치로 올려야 합니다.

15분 후에 혈당이 회복되었다면
다시 저혈당이 오는 것을 예방하기 위해
식사나 간식을 섭취해 주세요.

계속 저혈당 상태라면 다시 당질 섭취를 반복해서
낮은 혈당을 정상 수치로 올려줘야 합니다.

'저혈당 상황, 미리 알고 대처하기'를 꼭! 실천해 주세요!

저혈당이 의심된다면 다음과 같이 대처해 주세요!

혈당이 **60 mg/dL 이하**인 경우 : 15~20 g 당질을 즉시 섭취!

TIP

15~20 g의 당질을 즉시 섭취하면 **약 15분 동안** 40~60 mg/dL 정도의 혈당을 올려요!

15~20 g 당질은 혈당을 40~60 mg/dL 올릴 수 있어요!

15분간 휴식

60 mg/dL 이상 정상 혈당으로 회복된 경우   **60 mg/dL 이하**인 경우

 저혈당 재발을 예방하기 위해 식사 혹은 간식 섭취

 당질 섭취를 반복

질문 식사 대신 섭취할 저혈당 응급 식품이 있을까요?
답변 긴급하게 식사 준비가 어렵다면 아래 식품을 이용해 볼 수 있어요!

우유 1/2컵 + 식빵 1쪽   우유 1/2컵 + 비스킷 5쪽   우유 1/2컵 + 과일 1쪽   식빵 1쪽 + 과일 1/2쪽   인절미 3개 + 과일 1/2쪽

앞으로 저혈당(_____ mg/dL 이하)에 대비해서 응급 식품(사탕, 주스, 꿀 등)을 항상 준비해 놓겠어요!

STEP. 04 도움받기

04 —— 저혈당 대처 시 유의 사항

저혈당은 예고 없이 찾아올 수 있기 때문에
항상 저혈당에 대비할 필요가 있어요.

특히 새벽 저혈당 증상을 조심해야 하는데요.

이른 저녁을 먹고, 늦은 시간 취침할 경우
새벽에 악몽, 불안, 식은땀, 두통 등의
저혈당 증상이 나타날 수 있습니다.

잠자기 전에 따뜻한 우유를 한 잔 마시면,
새벽 저혈당 증상을 예방할 수 있어요.

사랑하는 가족들에게도 혹시 모를
저혈당에 대해 미리 도움을 부탁해 주세요.

04 저혈당 대처 유의 사항을 **기억해 주세요!**

저혈당에 대한 자주 묻는 질문과 답변의 내용을 통해 저혈당 대처 유의 사항을 알아볼게요!

❶ 잠자는 동안 저혈당이 발생할 수 있나요?

네!

새벽 저혈당 증상은 새벽 악몽, 불안, 불면증, 식은땀, 아침 기상 때 두통 등이 있어요.
**가족들에게 미리 도움을 부탁해 놓으세요.
잠자기 전 따뜻한 우유 한 잔을 마시면,
새벽 저혈당 증상을 예방할 수 있어요!**

❷ 달콤한 음식은 모두 응급 식품으로 사용할 수 있나요?

아니요!

지방이 많은 초콜릿, 아이스크림, 도넛, 케이크 등은 혈당 회복이 늦어요.
**혈당이 빨리 오를 수 있는
단당류(사탕, 설탕, 주스 등)를 먹어야 해요!**

❸ 저혈당 응급 식품은 충분히 먹어도 되나요?

아니요!

응급 식품을 너무 많이 먹으면 반대로 급격한 고혈당이 될 수 있어 위험해요!
**사탕 3~4개, 설탕 1 숟가락, 꿀 1 숟가락,
주스 반 컵 정도를 추천해요!**

저혈당을 유발할 수 있는 상황을 꼭 기억해 주세요!

- ☐ 인슐린양이 과다한 상황
- ☐ 음식을 너무 적게 먹었거나 식사를 안한 상황
- ☐ 운동을 너무 많이 했거나 격하게 한 상황

STEP. 05 미션 도전하기

05 ── 저혈당 예방하기

저혈당에 대해 충분히 이해하고 있는지
지금부터 드리는 질문에 답변을 해보세요.

저혈당 수치의 기준을 알고 있나요?
저혈당의 증상을 알고 있나요?
저혈당 응급 식품을 알고 있나요?
저혈당 대처 방법을 알고 있나요?

만약 바로 답변하기가 어렵다면,
2~3번만 교재를 더 읽어보세요.

저혈당 예방 방법을 반드시 숙지해서
안정적인 혈당 관리를 실천해 주세요.

05 예방을 통해 저혈당 상황을 줄여보아요!

'저혈당 예방 방법' 중, 잘 알고 있거나 실천 중인 것에 모두 체크해 주세요!

☐ 저혈당 수치 기준을 알아요!	저혈당 기준은 60 mg/dL 이하예요
☐ 저혈당의 원인을 알아요!	불규칙한 식사와 무리한 활동은 피해주세요!
☐ 저혈당의 증상을 알아요!	어지러움, 식은땀, 배고픔, 떨림, 두통 등의 증상이 나타나요
☐ 저혈당 대처 방법을 알아요!	저혈당 응급 식품을 챙겨 다닐게요!
☐ 평소 규칙적으로 혈당을 측정해요!	정확한 혈당 측정법도 잘 알고 있어요!
☐ 응급 상황에 대비해 주변에 나의 상태를 이야기해요!	나의 가족은 저혈당 대처 방법을 잘 알고 있어요!
☐ 규칙적으로 식사해요!	하루 3끼 식사와 간식을 챙겨 먹어요!
☐ 식사는 골고루 먹어요!	탄수화물, 단백질, 지방을 적절히 먹어요!
☐ 무리한 운동은 하지 않아요!	한 번에 20~30분 정도 운동해요!

나의 저혈당 예방 실천 항목 개수는?

5개 이하	저혈당을 피하기 위해 지금 바로 실천 항목을 늘려야 해요!
6~8개	잘하고 있지만, 저혈당 예방 실천 항목을 한 가지만 더 늘려볼까요?
9개	지금처럼 안전하게 혈당 관리를 잘 실천해 주세요

다음 중 저혈당 응급 식품으로 적절한 것 3가지는 무엇일까요?

☐ 사탕 ☐ 주스 ☐ 초콜릿 ☐ 꿀

* 초콜릿은 사탕, 주스, 꿀에 비해 유지방이 많아 혈당을 천천히 올려요.
그렇기 때문에 혈당을 빨리 올려야 하는 저혈당 응급 식품으로 적합하지 않아요!

처음임당 커리큘럼

DAY 18
배변 불편, 지긋지긋한 변비 탈출

Mission 자주자주 물 충분히 섭취하기

임신 후에 화장실 다니기가 불편하진 않나요?
뱃속의 아가가 자라면서 생긴 변비로 인해
화장실 가는 일이 여간 쉬운 일이 아니죠.
오늘은 산모의 원활한 배변 활동을 위해
충분한 물 섭취 요령을 함께 알아보겠습니다.

STEP. 01　평가하기

01 ── 요즘 나의 화장실 습관

쾌변은 하루를 상쾌하게 하지만,
변비는 여간 괴롭지 않습니다.

요즘 화장실 습관은 어떠신가요?

'변비 자가 진단 테스트' 항목을 확인해 보고,
4회 배변 중 해당하는 것이 많을수록
변비 개선이 필요한 상황이에요.

그리고 변비가 생기는 상황도 잘 살펴보시고,
변비 탈출 생활 습관을 만들어야 합니다.

변비는 엄마와 아가를 힘들게 해요!

01 요즘 배변 활동 마음에 드나요?

'변비 자가 진단 테스트' 항목 중, 해당하는 곳에 체크해 보세요!

- [ ] 4회 배변 중 1회 이상, 배변할 때 배에 힘을 많이 준다
- [ ] 4회 배변 중 1회 이상, 단단한 변이나 토끼똥 모양으로 변을 본다
- [ ] 4회 배변 중 1회 이상, 대변을 봐도 잔변감을 느낀다
- [ ] 4회 배변 중 1회 이상, 배변 시 항문에 꽉 찬 느낌이 있다
- [ ] 4회 배변 중 1회 이상, 배변을 위해 손가락을 이용하거나 다른 처치가 필요하다
- [ ] 일주일에 3회 미만의 배변을 한다

최근 3개월 동안 2개 이상 항목에 해당한다면, 변비 개선을 위한 노력이 필요해요!

'변비가 생기는 상황'이라고 생각되는 것에 모두 체크해 보세요!

- [ ] 식사량이 충분하지 않을 때
- [ ] 물을 충분히 마시지 않을 때
- [ ] 배변 느낌이 있지만 참거나, 화장실을 가지 못할 때
- [ ] 화장실 가는 습관이 일정하지 않을 때
- [ ] 임신 중일 때
- [ ] 운동이 부족할 때
- [ ] 스트레스가 많을 때

모든 항목이 변비의 원인이 될 수 있어요!

* 배변(排便) : 대변을 몸 밖으로 내보내는 것

STEP. 02　　**조언 받기**

02 ── 임신 중 변비

최근 웰변(Well便: 변을 잘 보는 일)이라는
신조어가 생길 만큼 대변은 신체와 정신 건강을
가늠하는 척도입니다.

임신성 호르몬, 입덧, 활동량 부족, 자궁 압박 등
다양한 이유로 임신 중에 변비가 발생하는데요.

변비가 지속된다면 소화 불량,
치질, 치핵 문제도 생기고
산후우울증의 원인이 될 수 있어요.
그래서 엄마의 건강을 위해
변비 고민은 빨리 해결해야 해요!

02 임신 중 변비는 어떠한 문제가 있을까요?

임신으로 인해 변비 발생이 증가하는 이유를 알려드릴게요!

변비란? 대장에 음식물이 딱딱하게 굳고 쌓이는 상태! 대장 운동이 저하되어 원활한 배변 운동을 하지 못하는 질환!

임신 호르몬
임신 호르몬에 의해 장의 움직임이 저하돼요

입덧
잦은 입덧은 탈수와 수분 부족을 유발해 변이 딱딱해져요

활동량 부족
운동 부족으로 장의 운동이 저하돼요

자궁 압박
점점 커지는 자궁으로 장이 압박되어 변이 딱딱해져요

변비가 지속되면 어떠한 문제가 생길까요?

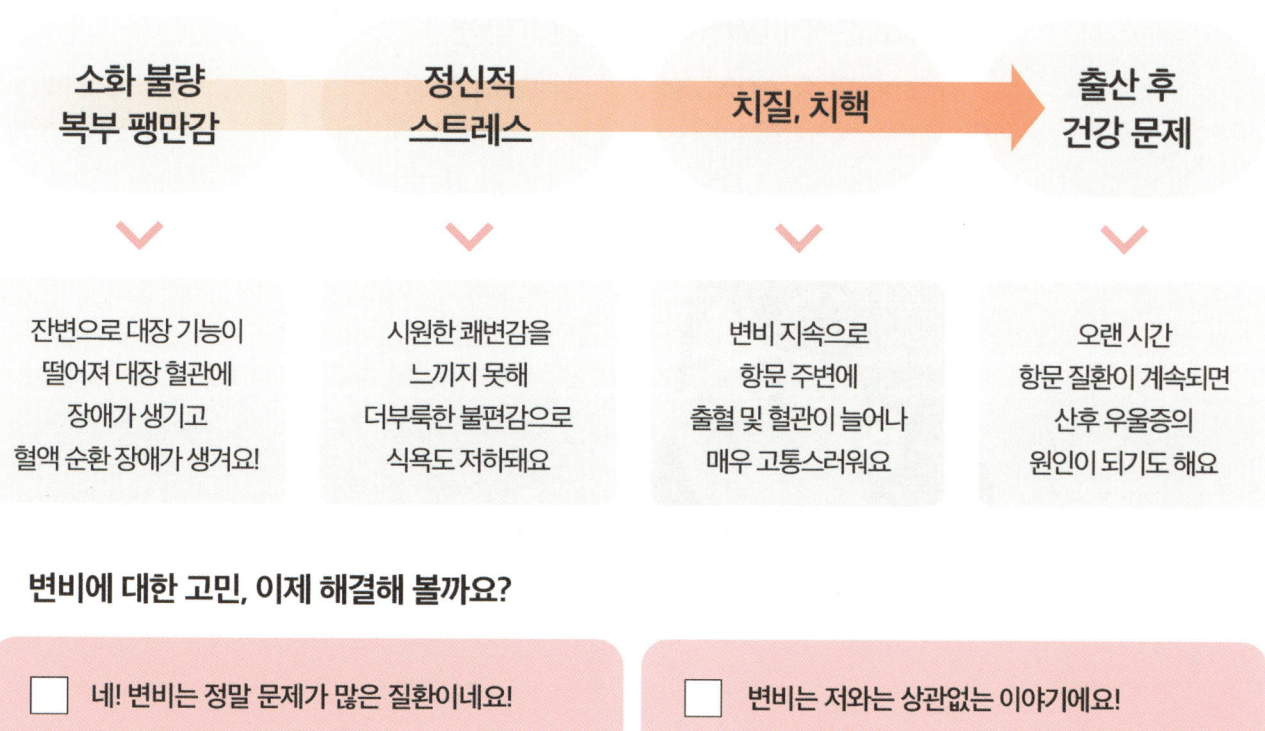

소화 불량 복부 팽만감 → 정신적 스트레스 → 치질, 치핵 → 출산 후 건강 문제

- 잔변으로 대장 기능이 떨어져 대장 혈관에 장애가 생기고 혈액 순환 장애가 생겨요!
- 시원한 쾌변감을 느끼지 못해 더부룩한 불편감으로 식욕도 저하돼요
- 변비 지속으로 항문 주변에 출혈 및 혈관이 늘어나 매우 고통스러워요
- 오랜 시간 항문 질환이 계속되면 산후 우울증의 원인이 되기도 해요

변비에 대한 고민, 이제 해결해 볼까요?

☐ 네! 변비는 정말 문제가 많은 질환이네요!   ☐ 변비는 저와는 상관없는 이야기에요!

STEP. 03　목표 설정하기

03 —— 충분한 수분 섭취

물은 변비 예방에 도움이 되고,
음식물의 소화, 흡수에 꼭 필요합니다.

특히 임신 기간에는
배 속의 아이를 보호하기 위해
충분한 수분 섭취가 필수인데요.

임신 중에는 혈액량이 증가하고,
태아 보호를 위한 양수를 생성해야 해요.

엄마와 아가 모두의 건강을 위해
세계보건기구(WHO)에서 권고하는
하루에 물 8~10잔 정도는 꼭 마셔주세요!

03 변비 예방 및 개선을 원한다면, '자주자주 물 충분히 섭취하기'를 추천드립니다.

수분 섭취 부족은 변비의 주요 원인이에요!

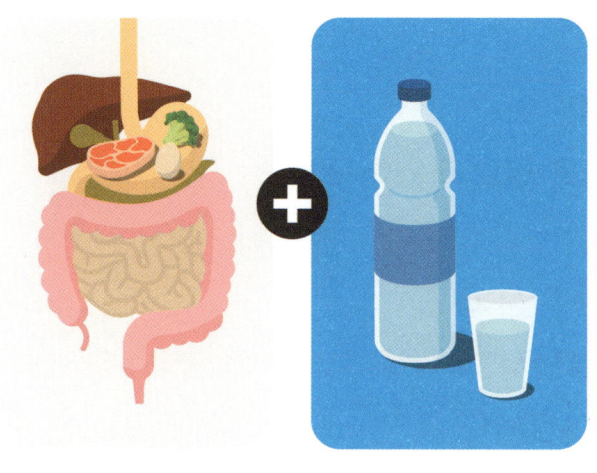

섭취한 음식이 체내에 흡수되기까지 몸속 모든 소화 과정에서 충분한 수분이 꼭 필요해요

임신 기간에는 더욱 충분한 수분 섭취가 필요해요!

1. 태아 영양 공급을 위해 **임신 전보다 혈액량이 50 % 증가해요!**
2. 자궁 내 태아 보호를 위해 **양수를 생성해요!**
3. 모체와 태아 조직의 노폐물 제거를 위해 **소변 배설량이 증가해요!**

→ 엄마와 아가 모두의 건강을 위해 **충분한 수분 섭취가 필요해요!**

* 임신 기간 중 체중 증가량(약 12 kg)의 50~70 %는 물이에요!

하루 수분 섭취 권장량만큼은 섭취해야 해요!

1.5 L ~ 2 L (보통 성인 기준)

세계보건기구(WHO) 수분 섭취 권장량

수분 섭취 권장량을 채우기 위해 하루에 8컵의 물을 마셔볼까요?

- ☐ 네! 너무나 중요한 수분 섭취 잘 해낼게요!
- ☐ 노력은 해볼게요!
- ☐ 물을 많이 마시는 것 자체가 너무 힘든 미션이에요!

STEP. 04　도움받기

04 —— 변비 개선 실천요령

변비를 예방하고 개선하려면
평소 식생활 습관을 되돌아볼 필요가 있어요.

오른쪽의 '변비 예방을 위한 미션'과
'실생활 행동 요령'을 살펴보면서
할 수 있을 건강 행동을 찾아보세요.

채소는 충분히, 일어나면 물 한 잔,
대변 신호가 오면 바로 화장실 가기 등
모두 일상에서 쉽게 할 수 있어요.

어렵게 생각하지 마시고, 할 수 있는 것부터
하나둘씩 실천해 보면 어떨까요?

04 변비 예방 및 개선을 위한
식생활 습관을 확인해 보세요!

변비 예방을 위한 '미션'과 '실생활 행동 요령' 중 시도해 볼 수 있는 것에 체크해 보세요!

미션	설명	실생활 행동 요령
식이섬유 충분히 먹기	식이섬유는 소화, 흡수되지 않고 장에 도달하여 장의 운동을 촉진시켜요	☐ 식사에서 채소를 충분히 먹고, 간식으로 과일을 먹을게요!
매일 산책하기	걷기는 온몸의 혈액 순환을 개선하고, 장의 운동을 촉진시켜요	☐ 변비 개선을 위해 하루 20분 이상 산책할게요!
일어나면 물 한 잔 마시기	공복에 물 한 잔은 배변을 위한 준비 및 장운동 촉진에 도움이 돼요	☐ 자기 전에 아침에 마실 물을 미리 준비할게요!
야식 제한하기	야식은 소화 불량과 변비의 원인이 돼요	☐ 하루 3번 규칙적으로 식사를 할게요!
아침 식사 챙겨 먹기	배변하기 좋은 아침 시간에 식사를 거르면 위장 운동이 저하돼요	☐ 간단히라도 아침 식사를 챙겨 먹을게요!
대변 신호가 오면 바로 화장실 가기	대변을 참으면 변이 쌓여 장이 늘어날 수 있어요	☐ 대변을 두려워하지 않고, 바로 화장실로 가겠어요!

오늘부터 실천할 항목에 모두 체크해 보세요!

STEP. 05   미션 도전하기

05 —— 변비 해결, 핵심 습관

충분한 수분 섭취가
엄마와 아가의 건강에 좋다는 점을 배웠으니,
하루에 물 8잔 마시는 습관을 실천해 보세요.

방법은 간단해요.
기상 직후와 자기 전,
그리고 매끼 식전 30분과 식후 2시간에
물을 마시는 거예요.

하루에 물 8잔 마시면 혈액 순환과 위장 운동 촉진,
식사량 조절 등에 도움을 줄 거예요.

건강한 배변 활동을 위해
물을 조금씩 자주 마시는 습관을 만들어보세요.

05 건강한 배변 습관을 위해
하루 8잔 물 마시는 습관을 실천해 보세요!

물 마시는 시간을 미리 정하면, 수분 권장 섭취량을 지킬 수 있어요!

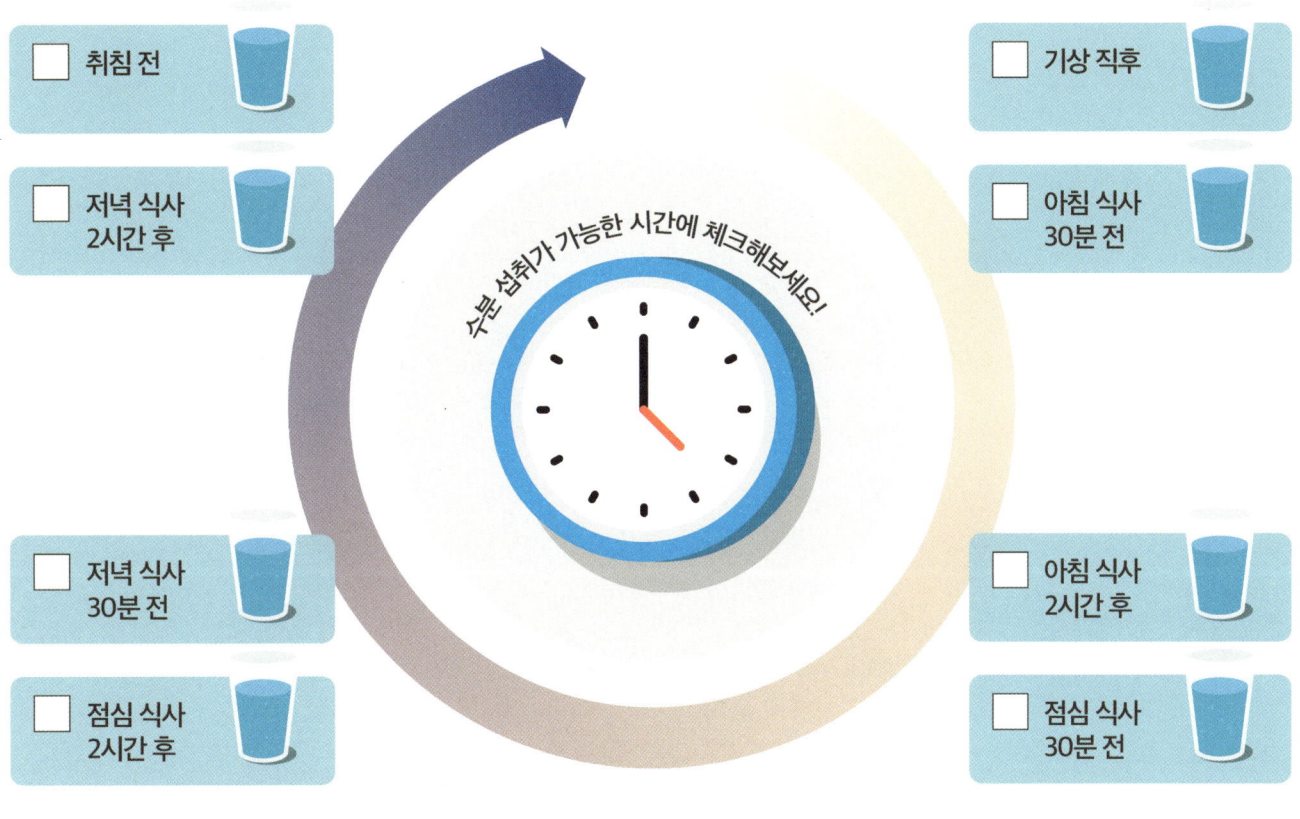

- ☐ 취침 전
- ☐ 저녁 식사 2시간 후
- ☐ 저녁 식사 30분 전
- ☐ 점심 식사 2시간 후
- ☐ 기상 직후
- ☐ 아침 식사 30분 전
- ☐ 아침 식사 2시간 후
- ☐ 점심 식사 30분 전

수분 섭취가 가능한 시간에 체크해보세요!

기상 직후 체내 신진대사와 혈액 순환을 원활하게 해요	**식사 2시간 후** 식사량 조절과 소화에 도움을 줘요
취침 전 장운동을 촉진해 아침 배변을 수월하게 해요	**식사 30분 전** 군것질하고 싶은 욕구를 줄여줘요

'수분 섭취를 위한 똑똑한 방법' 중, 시도할 수 있는 것에 모두 체크해 보세요!

- ☐ 기상과 동시에 물 1~2컵 마시는 것으로 하루를 시작하기!
- ☐ 낮에 기운이 없다면, 커피 대신 물 1컵 마시기!
- ☐ 운동 전, 운동 중, 운동 후에 각각 물 1컵 이상 마시기
- ☐ 배고픔 조절을 위해 식사 전에 물 1컵 마시기!
- ☐ 두통이 있을 때, 물 1컵 마시기!
- ☐ 취침 30분 전에 물 1컵 마시기

처음임당 4주차

처음임당 커리큘럼

DAY 19　출산 후, 골든타임

Mission　**건강 행동 습관 유지하기**

출산 후에는 대부분의 산모가 정상 혈당으로 회복되지만,
임신성 당뇨는 수년 후 당뇨병 발생의 경고 신호입니다.
그렇기 때문에 임신 중의 건강 관리만큼이나 출산 후의 관리도
아주 중요해요. 오늘은 출산 후 소중한 아가 천사를 위해
더 건강한 엄마가 되는 방법에 대해 알려드릴게요.

STEP. 01 평가하기

01 ── 출산 후의 내 모습

배 속에서 하루하루 커가는
아가의 태동을 느끼면서
빨리 아가를 만나고 싶은 마음이 커집니다.

게다가 출산 후 자유로워진
나의 모습을 생각하니 더욱 기대됩니다.

출산 후에 하고 싶은 일들을 체크해 보세요.
간혹 '내가 육아랑 건강관리를 잘 할 수 있을까?'
생각이 들 수 있지만, 조급해하지 마세요.

지금처럼 건강 행동 습관을 유지하고
나에게 집중하는 시간을 가진다면 문제없어요!

01 내 아이에게 온 사랑을 쏟으며
행복하게 육아하고 싶어요

출산 후에 하고 싶은 일에 모두 체크해 보세요!

내 아이에게 온 사람을 쏟으며 행복하게 육아하고 싶어요!	☐
활력 넘치고 건강한 엄마가 되고 싶어요!	☐
스스로에게 매력 있는 나 자신이 되고 싶어요!	☐
육아와 가정 모두 잘 이끌어가고 싶어요!	☐
가족과 여행을 자주 가고 싶어요!	☐
취미 활동을 열심히 하고 싶어요!	☐
임신 전 체중으로 돌아가고 싶어요!	☐
그동안 못 먹었던 음식들 실컷 먹고 싶어요!	☐
운동을 맘껏 해보고 싶어요!	☐
자유롭게 문화생활을 즐기고 싶어요	☐
새로 태어난 아기와 가족사진을 찍고 싶어요!	☐
육아와 일 모두 잘 해내고 싶어요!	☐
( ) 하고 싶어요!	
( ) 하고 싶어요!	

출산 후 육아를 잘 해낼 수 있을까 걱정이 되나요?

너무 조급해하지 마세요.
지금의 **건강 행동 습관을 유지한다면**,
건강한 엄마의 현명한 육아가 가능해요!

→ 출산 후에도 나에게 집중하는 소중한 시간은 필요해요!

STEP. 02   조언 받기

02 ── 출산 후 당뇨병 위험성

출산 후에는 인슐린 저항성에 영향을 주던
태반 호르몬이 사라지면서
정상 혈당으로 돌아옵니다.

하지만 임신성 당뇨병은
미래의 당뇨병 발생 위험을 알리는 신호에요.

한 연구 결과에 따르면
출산 후 체중이 증가한 임당 산모들은
당뇨병 위험성이 높았다고 합니다.

임신 중 아침 공복 혈당이 높거나 당뇨병 가족력이 있는 경우,
임신 전 비만이거나 고령 산모의 경우
당뇨병 발병 위험이 높기 때문에 관리가 필요해요.

02 건강한 나를 유지해야 출산 후 당뇨병 위험에서 벗어날 수 있어요!

임신성 당뇨병은 미래의 당뇨병 발생 위험성을 알리는 신호에요!

임당 산모의 출산 이후의 체중 변화에 따른 당뇨병 발병률

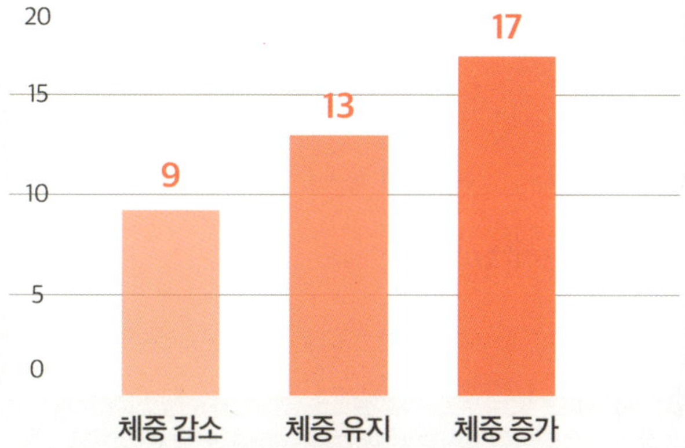

- 체중 감소: 9
- 체중 유지: 13
- 체중 증가: 17

4년 후 당뇨병 발병 비율(%)

! 출산 후 체중 증가는 당뇨병 위험성이 높아요!

출산 후, 당뇨병 발병 위험인자

- 임신 중 아침 공복 혈당이 높았던 경우
- 당뇨병 가족력이 있는 경우
- 임신 전 비만인 경우
- 고령 산모의 경우

출산 후 당뇨병 발병 위험인자

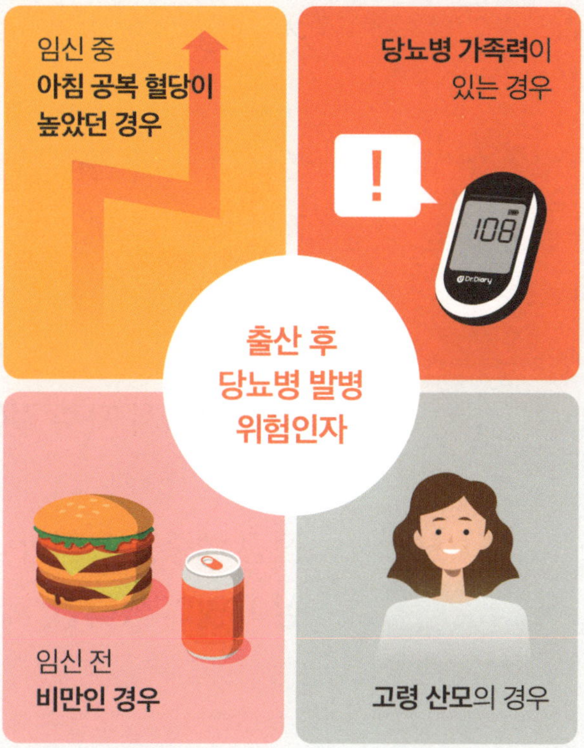

임당 산모의 출산 후 당뇨병 위험률

다음 임신 때 임신성 당뇨 발병률 → **50%** ← 출산 10년 이내 당뇨 발병률

출산 후 당뇨병 위험에서 멀어지기 위해 '건강 행동 습관' 잘 유지해 볼까요?

☐ 출산 후 건강한 엄마가 되기 위해 건강 행동 습관을 유지하겠어요!

☐ 출산 후 당뇨병은 나에게는 해당하지 않은 이야기 같아요!

STEP. 03 목표 설정하기

03 ── 출산 후 건강 행동 유지

출산 후 당뇨병 위험을 낮추고 싶다면
식사 관리, 운동 관리, 체중 관리 등의
건강 행동 습관을 유지해야 합니다.

건강한 식사 관리가 필요합니다.
제때에, 알맞게, 골고루 식사해 주세요!

신체 활동을 늘리려 노력합니다.
생활 속에서 자주 걸어주세요!

적정 체중을 유지합니다.
살이 많이 쪘다면, 체중 감량이 필요해요!

03 출산 후 당뇨병 위험을 낮추기 위해 '건강 행동 습관 유지하기'를 추천드립니다!

출산 후에도 '건강 행동의 생활화'는 정말 중요해요!

임당생활 꿀팁

TIP

출산 후 건강 행동은 특별하지 않아요!

그동안 임당 관리를 위해 **지켜왔던 건강 행동을 유지하면 돼요!**

건강관리 3원칙

식사, 운동, 체중 관리는 당뇨병 고위험군의 당뇨병 발병을 예방하고, 건강 관리에 반드시 필요해요!

출산 후 더 건강한 나를 위해 '건강 행동 생활화' 실천해 볼까요?

☐ 네, 물론이죠. 예전보다 더 건강한 내가 되기 위해 건강 행동을 유지하겠어요!

☐ 아직은 잘 모르겠어요!

☐ 아니요. 그냥 자유롭게 생활하겠어요!

STEP. 04　도움받기

04 ── 모유 수유를 위한 식사 요령

출산 후 모유 수유는 아가와 엄마에게 많은 도움을 줍니다.

모유는 아가의 성장에 최적화된 영양 공급원이에요.
모유는 면역 성분이 풍부해서 아가의 감염 위험을 낮춰요.
모유 수유를 하는 엄마는 저절로 몸매 관리가 돼요.
모유 수유는 출산 후 회복에 도움을 줘요.

건강한 모유 수유를 준비하기 위해서
엄마의 노력이 필요합니다.
영양 가득 모유 생산을 위해 적절하고 균형 잡힌 식사를
해야 하며, 충분한 칼슘과 수분 섭취에 신경을 써야 해요.

아가에게 안 좋은 영향을 미치는
과도한 카페인과 단순당 섭취는 피해주세요.

04 모유 수유 준비를 위한 건강한 식사 요령을 확인해 보세요!

모유 수유는 아가뿐 아니라 엄마에게도 많은 도움이 돼요!

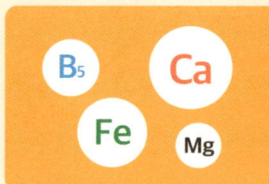

최고의 영양 공급원

아가 성장에 최적화되었어요

소아 알레르기를 예방하고 뇌를 비롯한 중추신경계 발달에 도움이 돼요!

풍부한 면역 성분

위장관 및 호흡기 감염 위험을 낮춰요

모유의 철분 흡수율이 높아 아기의 빈혈을 예방하고, 아토피 위험을 낮춰줘요!

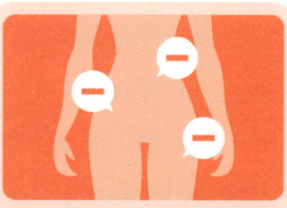

엄마의 비만 예방

허리, 허벅지와 엉덩이에 축적되어 있는 지방을 분해해요

모유 수유 중 식사요법을 병행한다면 비만 예방에 훨씬 효과적이에요!

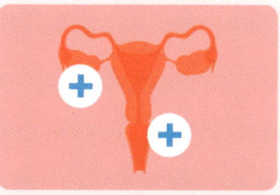

출산 후 회복에 도움

자궁 수축을 촉진시켜 자궁 출혈을 예방해요

산모의 유방암 위험을 줄이고 체중 감소 및 당뇨병 예방에 도움이 돼요!

건강한 모유 수유를 준비하기 위해 필요한 건강한 식사 요령 중, 시도할 수 있는 것에 모두 체크해 보세요!

과도한 카페인 섭취 피하기 ☐
아기의 철분 영양 상태에 영향을 줄 수 있는 커피, 홍차, 초콜릿, 콜라 등은 하루 1잔 이하로 마셔요!

적절한 식사량 유지하기 ☐
모유 수유를 위해 알맞게 먹고, 극단적인 다이어트는 피하세요!

균형 잡힌 식사하기 ☐
매끼 곡류, 어육류, 채소를 균형 있게 섭취하고 간식으로 우유, 과일을 챙겨주세요!

출산 후 엄마와 아가를 위한 식사요령

충분한 칼슘 섭취하기 ☐
모유로 분비되는 칼슘의 양을 보충하기 위해 우유, 두유, 콩류 등을 충분히 섭취해요!

단순당 섭취 줄이기 ☐
안정적인 혈당 관리를 위해 과자, 사탕, 케이크 등 단 음식을 멀리하세요!

충분한 수분 섭취하기 ☐
수분 균형을 위해 갈증이 날 때마다 충분한 물을 마셔요!

모유 수유에 대한 오해와 진실

질문 임신성 당뇨병인 경우, 모유 수유를 하면 안 되나요? 또 모유 수유를 하면 빨리 젖이 마르나요?

답변 아니에요! 임신성 당뇨병이 있어도 모유 수유를 피해야 한다는 것은 잘못된 정보에요. 오히려 모유 수유는 산모의 혈당 조절과 아가의 건강에 매우 유익해요!

STEP. 05 미션 도전하기

05 ── 분만 후 건강관리 유의 사항

출산 후에도 건강하고 활력 넘치는 엄마가 되고 싶지만
육아는 엄마를 지치고 피곤하게 하곤 합니다.

엄마의 건강 관리와 육아 사이의 균형이 필요해요.

아빠와 함께 육아하는 것이 좋아요.
아빠에게 당당히 도움을 요청하세요.

엄마의 운동은 필수입니다.
손쉬운 운동 먼저 시작해 보세요.

엄마의 식사도 중요합니다.
아기 식사 시간에 엄마도 함께 식사해 주세요.

05 출산 후에도 '건강 행동 습관'을 유지하기 위한 노력이 필요해요!

육아와 엄마의 **건강 사이에도 균형**이 필요해요!

출산 후 '건강 행동 습관'을 위한 실생활 속 팁을 소개할게요!

육아도 가사도 아빠와 함께하기

엄마와 아빠가 함께 육아와 가사를 나누며 가족 각자의 건강을 챙기는 시간을 확보하세요.

☐ 네, 당연히 그래야죠
☐ 아직 잘 모르겠어요

손쉬운 운동 시작하기

집안에서 허벅지 운동, 스트레칭, 심호흡, 케겔 운동 등을 조금씩 해보세요!

☐ 네, 당연히 그래야죠
☐ 아직 잘 모르겠어요

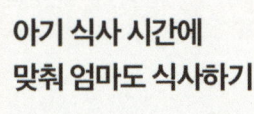

아기 식사 시간에 맞춰 엄마도 식사하기

아가 수유 전이나 후에 엄마도 식사하는 습관을 만드세요.

엄마가 항상 건강한 식사를 챙겨야 아가도 가족도 챙길 수 있어요.

☐ 네, 당연히 그래야죠
☐ 아직 잘 모르겠어요

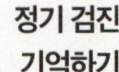

정기 검진 기억하기

출산 후 적어도 12주 이내에 병원에서 혈당 검사를 받아보세요!

달력이나 알람으로 정기 검진일을 저장하면 놓치지 않아요!

☐ 네, 당연히 그래야죠
☐ 아직 잘 모르겠어요

엄마의 건강은 가족의 건강과 행복이에요

처음임당 커리큘럼

DAY 20 임당 탈출, 건강 습관 유지

Mission 나만의 건강관리 패턴 찾기

임당 관리의 여정이 어느덧 한 달 가까이 됐습니다.
길다면 길고, 짧다면 짧은 한 달 동안 아가와 나를 위해
정말 열심히 관리했는데요. 그동안 배운 임당 관리 여정을
되돌아보고, 앞으로 태어날 아이를 더 건강하고, 행복하게
맞이할 준비의 시간을 가져보는 건 어떤가요?

STEP. 01 평가하기

01 ── 그동안 임당 여정

한 달간의 임당 관리의 여정이 어땠나요?

오늘은 지난 한 달 동안의 건강 관리에 대해
돌아보는 시간을 가져보세요.

무엇보다 그동안 아가와 엄마를 위해
정말 열심히 관리한 나 자신에게
고생했다며 칭찬 한마디를 해주세요!

그동안 잘했던 건강 행동은 앞으로도 잘 유지하고,
조금 어려웠던 건강 행동은 다시 도전해 볼까요?

01 지난 한 달간의 임당 관리의 여정을 **되돌아볼까요?**

(1 : 실천 안 함 ~ 5 : 매일 실천)

처음임당 프로그램에서 제안한 다양한 미션을 잘 수행해 보았나요? 각 항목에 자가 점수를 체크해 보세요!

01 혈당조절 목표 바로 알기	1 2 3 4 5		06 임당 관리, 가족과 함께하기	1 2 3 4 5
02 간식에서 단순당 줄이기	1 2 3 4 5		07 적정 체중 바로 알기	1 2 3 4 5
03 균형식사, 손저울법 활용하기	1 2 3 4 5		08 식후 20분 산책하기	1 2 3 4 5
04 식품교환표 활용하기	1 2 3 4 5		09 식이섬유 챙기기	1 2 3 4 5
05 매일 자가 혈당 측정하기	1 2 3 4 5		10 당지수 활용하기	1 2 3 4 5

1주차 점수합계 _____점   **2주차** 점수합계 _____점

11 담백하게 먹기	1 2 3 4 5		16 오롯이 나만 생각하기	1 2 3 4 5
12 장보기 계획 세우기	1 2 3 4 5		17 저혈당 상황, 미리 알고 대처하기	1 2 3 4 5
13 외식 전, 미리 음식 메뉴 적어보기	1 2 3 4 5		18 자주자주 물 충분히 섭취하기	1 2 3 4 5
14 식이섬유, 단백질 먼저 먹기	1 2 3 4 5		19 건강행동 습관 유지하기	1 2 3 4 5
15 하루 20분, 허벅지 운동하기	1 2 3 4 5		20 나만의 건강관리 패턴 찾기	1 2 3 4 5

3주차 점수합계 _____점   **4주차** 점수합계 _____점

여러분의 점수는 몇 점인가요? : 총합(   ) 점

~59점	60~69점	70~79점	80~89점	90~100점
건강 관리에 빨간불이 들어왔어요!	건강 관리에 관심이 필요해요!	조금만 더 노력해 볼까요?	지금도 잘하고 있지만 2%만 힘내 볼까요?	건강 관리를 너무 잘하고 있어요!

STEP. 02　조언 받기

02 ── 생활 습관 개선 중요성

임당 관리는 식단, 운동, 혈당 관리로 요약할 수 있습니다.

건강한 식단을 챙겨 먹고,
신체활동을 늘리려 노력하고,
정기적으로 혈당을 측정하는 것이
임당 관리를 잘할 수 있는 방법이에요.

임당 진단을 받았다면
출산 이후에도 식단, 운동, 혈당 관리를 유지해야
향후 당뇨병 발생 가능성을 줄여줍니다.

엄마의 건강 관리가 곧 아기와 가족의 행복이라는
사실을 기억하며, 출산 후에도 건강 습관을 유지해 주세요.

02 임신성 당뇨를 탈출하려면 생활 습관을 개선하려는 노력이 필요해요!

임당 관리의 핵심 건강 행동 3가지를 소개할게요!

출산 이후에는 예전처럼 자유롭게 생활해도 될까요?

→ 건강 관리 습관을 유지해야 **향후 당뇨병 발생 가능성을 낮춰요!**

임당 때문에 걱정이 많았지요?
하지만 임당 관리를 잘 해내면 더 건강한 나를 만날 수 있어요!

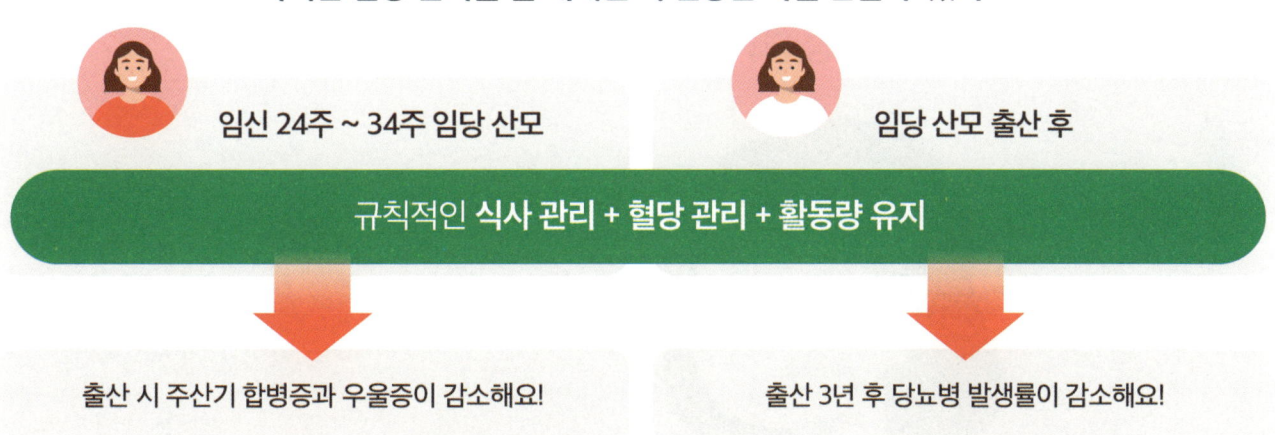

| 임신 24주 ~ 34주 임당 산모 | 임당 산모 출산 후 |

규칙적인 **식사 관리** + **혈당 관리** + **활동량 유지**

↓ 출산 시 주산기 합병증과 우울증이 감소해요!
↓ 출산 3년 후 당뇨병 발생률이 감소해요!

임신 과정과 출산 후 건강 관리에 대한 동기부여 점수는 100점 만점에 몇 점인가요?

나의 건강 동기 점수는 (　　　) 점이에요!

STEP. 03 목표 설정하기

03 ── 나만의 임당 관리 방법

지난 한 달 동안 배운
'임당 관리 건강 행동 미션'을 바탕으로
나만의 임당 관리 패턴을 만들어 보세요.
쉬운 건강 행동 미션부터 시작해 주세요.

교재에 있는 시간표를 참고해서
본인의 라이프스타일에 맞게
식단, 운동, 혈당 관리와 관련된 미션을 채워보세요.

'식 후 20분 산책하기', '매일 자가 혈당 측정하기' 등
쉽고 간단한 미션이기 때문에 결코 어렵지 않아요.

지금까지 배운 건강 미션을 일상에 녹여낸다면
나만의 임당 관리 패턴이 자연스레 완성될 거예요!

03 지금, 그리고 평생 건강을 위해
앞으로도 건강 습관을 유지해 주세요!

나만의 건강 관리 패턴을 만들어 보세요!

시간	식사	운동	혈당 체크	기타

처음임당 미션

1. 혈당 조절 목표 바로 알기
2. 간식에서 단순당 줄이기
3. 균형식사, 손저울법 활용하기
4. 식품교환표 활용하기
5. 매일 자가 혈당 측정하기
6. 임당 관리, 가족과 함께하기
7. 적정 체중 바로 알기
8. 식후 20분 산책하기
9. 식이섬유 챙기기
10. 당지수 활용하기
11. 담백하게 먹기
12. 장보기 계획 세우기
13. 외식 전, 미리 음식 메뉴 적어보기
14. 식이섬유, 단백질 먼저 먹기
15. 하루 20분, 허벅지 운동하기
16. 오롯이 나만 생각하기
17. 저혈당 상황 미리 알고 대처하기
18. 자주자주 물 충분히 섭취하기
19. 건강행동 습관 유지하기

15:00		
16:00		
17:00		
18:00		
19:00	4,9 저녁식사	5 식후혈당확인
20:00		15 허벅지운동
21:00		
22:00		

STEP. 04 　도움받기

04 ── 임당 관리의 행동 요령

임당 관리의 방해물을 만나서 힘든 경우도 있었죠?

일상이 너무 바쁘거나,
노력에 비해 혈당 관리가 잘되지 않아서
속상할 때도 있었을 거예요.

한 번에 모든 것을 바꾸는 것은 누구나 힘들어요!
일상에서 할 수 있는 건강한 행동을 조금씩 늘려보세요.

식단을 실수했어도 괜찮아요.
다음번 식사에서 더 건강하게 먹으면 되니까요.

힘들고 지칠 때, 가족과 대화를 통해 해결해 보세요.
임당 관리는 가족과 함께할 때 더 잘 해낼 수 있어요!

04 임당 관리가 힘들 때
6가지 행동 요령을 확인해 보세요!

임당을 관리하면서 어떤 점이 힘들었나요?

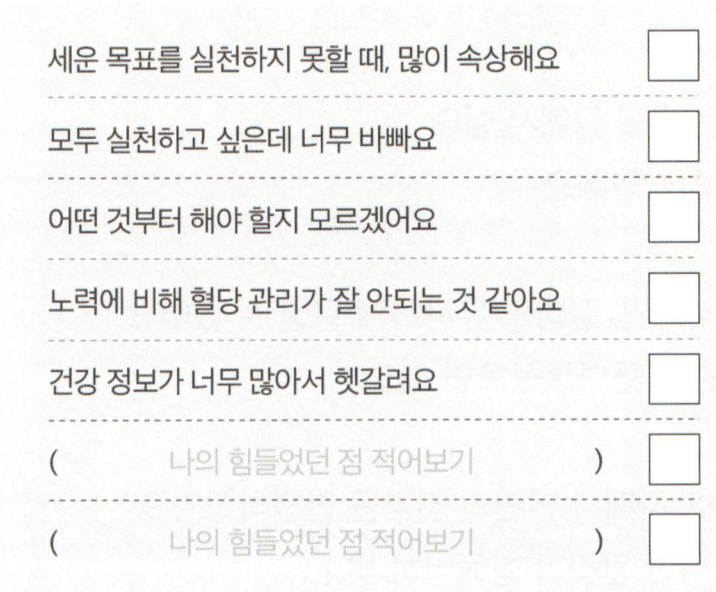

임당 관리를 잘 해낼 수 있는 6가지 방법을 소개할게요!

STEP. 05　미션 도전하기

05 —— 가족, 지인의 건강 챙기기

'식구(食口)'의 뜻은 같은 집에서 살며
끼니를 함께 하는 사람인데요.

평소 식습관이 유사하면, 질병도 유사하게 걸릴 수 있어요.
그래서 가족의 건강도 돌아보셨으면 해요.

어머니, 아버지, 형제자매나 남편의 건강은 안녕하신가요?
소중한 사람들 중 식단 관리가 힘들어하거나
운동을 시작하기를 망설이거나
건강 관리에 별다른 관심이 없거나
체중 관리가 필요한 분도 있을 거예요.

엄마와 아가의 건강을 소중히 관리했던 것처럼
가족의 건강에도 관심을 기울여보면 어떨까요?

05 나의 건강 관리가 소중하듯, 주변 사람들의 건강도 챙겨주세요!

요즘 나의 가족과 지인들의 건강은 어떠한가요?

건강 관리에 적신호가 켜진 분이 있다면, 꼭 필요한 강의를 추천해 주세요!

당뇨 전단계 '어머니'	10년 차 당뇨인 '아버지'	고혈압을 진단받은 '사촌 오빠'	임당 판정받은 '내 친구'	비만 그리고 지방간 '남편'
"식사 관리가 참 힘들구나."	"운동을 하긴 해야 하는데 말이야."	"약만 잘 먹으면 되겠지."	"우리 아가 어떡해."	"살을 빼야 한다네."
☐	☐	☐	☐	☐
당뇨식사법	당뇨운동법	처음고혈압	임신성 당뇨병	간헐적 단식

나와 내 가족 모두가 건강할 때 제일 행복해요~ 항상 건강하세요!

이 책을 만든 사람들

처음임당 4주차

초판 1쇄 2022년 8월 15일

펴낸곳	(주)닥터다이어리
주소	서울특별시 강남구 대치동 890-8 연봉빌딩 8층 (주)닥터다이어리
전화	02-2135-2098
홈페이지	www.drdiary.co.kr

이 책을 만든 사람들	총괄	이산인군
	콘텐츠 제작 및 기획	김연수 / 박세연 / 임사라 / 김은혜
	편집 · 디자인	박길주
	영상 촬영 및 편집	김현민 / 양세윤 / 임태균

등록 제 2022-000210호

정가 26,000원 (4권 1세트) / 낱권 6,500원

ISBN 979-11-92593-12-8

ISBN 979-11-92593-08-1 (세트)

* 본 교재의 저작권은 (주)닥터다이어리에 있습니다.
 본 교재의 내용의 전부 또는 일부를 재사용하려면 반드시 저작권자의 서면 동의를 받아야 합니다.